© Lito, 2009
ISBN 978-2-244-49133-2

Juliette
fait du poney

Texte et illustrations de
Doris Lauer

Editions **Lito**

Depuis le printemps, Juliette fait du poney tous les mercredis au centre équestre du Petit Galop. Avant de partir, vite, elle enfile ses bottes et maman lui attache sa bombe. Juliette est toujours pressée d'arriver.
-Oh, regarde maman, la ponette et son bébé dans le pré !

La monitrice s'appelle Anne. Elle ouvre la porte d'un box et demande : - Tu veux monter Peter Pan ou Farceur aujourd'hui, Juliette ? Pleuni, Milky Way et Chipie sont déjà pris ! - Je prends Peter Pan, il m'a fait un petit clin d'œil ! Bisou maman, à tout à l'heure !

Juliette a appris à s'approcher toujours de face des poneys et à bien les panser. Elle nettoie les sabots avec le cure-pied, frotte la boue des poils avec l'étrille et fignole le brossage avec le bouchon. – Je crois que Peter Pan est chatouilleux ! Oh là là, il a fait du crottin, ce petit cochon !

– Bravo Juliette, Peter Pan est tout propre et toi, pleine
de poussière, se moque Anne. – On va « l'hacharner »
maintenant ? – On dit « harnacher », ma jolie ! Juliette
est trop petite pour mettre le tapis, la selle et le filet.
– Mais je sais monter toute seule ! Elle glisse son pied
gauche dans l'étrier et hop, se hisse à califourchon sur le poney.

-C'est bien, Juliette, tu ne t'assois plus à l'envers comme au début! A la carrière, Anne vérifie si elle a bien retenu les leçons: Juliette serre les mollets pour avancer, tend les rênes pour ralentir et sait aussi tourner. Ou presque:

-J'ai dit à droite, Juliette, tu vas encore à gauche!

- Pff, c'est pas rigolo! Moi, je voudrais déjà faire de la voltige!

Poneys et cavaliers partent en promenade et se
suivent à la queue leu leu dans le chemin. Soudain,
Peter Pan donne une ruade. –Au s'cours, quesquispasse !
J'ai failli tomber ! s'écrie Juliette, effrayée. –Plus de peur
que de mal. Peter Pan déteste qu'on lui colle au train !
Viens, tu vas aller en bout de file, dit Anne en la guidant.

–Eho, Peter Pan, tu marches dans les orties! Tu sais pas que ça pique? Et arrête de manger, les autres sont déjà loin! Juliette se fâche et tire sur les rênes : –Tu es têtu comme un âne! Ça suffit maintenant, allez! Alors le poney se remet au pas.

Après la promenade, les poneys sont fatigués. Juliette sait qu'il faut s'occuper d'eux avant de les ramener dans leur box. –Voilà une belle carotte pour toi, monsieur Peter Pan. Je sais que tu adores ça, gros gourmand ! Puis elle caresse son nez tout doux et dit : –Bon, à mercredi, mais attention, plus de ruades et plus d'orties !

www.editionslito.com

Lito
41, rue de Verdun 94500 Champigny-sur-Marne
Imprimé en UE
Loi n° 49-956 du 16 juillet 1949 sur les publications destinées à la jeunesse
Dépôt légal : janvier 2019

Juliette
fait des bêtises

Juliette
chez le docteur

Juliette
va à l'école

Juliette
chez papy et mamie

Juliette
fête son anniversaire

Juliette
fait des courses

Juliette
pique-nique

Juliette
fête Noël

Juliette
fait du sport

Juliette
à la fête du village

Juliette
fait sa toilette

Juliette
fait un gâteau

Juliette
fait de la musique

Juliette
joue dans son jardin

Juliette
prend le train

Juliette
et sa copine

Juliette
se promène en forêt

Juliette
fait du poney

Juliette
fête Pâques

Juliette
et la galette des Rois

Juliette
fait du camping

Juliette
dort chez sa copine

Juliette
à la maternelle

Juliette
petite danseuse

Juliette
à la cantine